11+
& SATs
MULTIPLICATION
TABLES

15 Day Learning Programme
2× – 12× Tables

Stephen C. Curran

This book belongs to:

....
_____

Accelerated Education Publications Ltd.

Contents

Times Tables

Week One

Week Two

Week Three

Multiplication Tables

TIMES TABLES
15 Day Learning Programme

This Tables Programme is designed for use over a 15 day period. There are three 5 day working periods on the Tables, with weekends free, ensuring a full mastery of the 2× to 12× Tables within just three weeks.

Two basic approaches are used to aid memorisation.
1. Writing answers to questions.   2. Using 'flash' cards.

The exercises are set out in the following four ways:
Each day the programme follows the same format.

Stage 1 - Practise the Tables Exercises in this book.

Suppose we are learning the 2× Table. The various exercises break into four sections corresponding to the way Tables sums can be laid out:

Examples:

Show the four types of Tables questions.	Answers:
a) $4 \times 2 = ?$ b) $2 \times 4 = ?$	a) **8** b) **8**
c) $? \times 2 = 8$ d) $2 \times ? = 8$	c) **4** d) **4**

Stage 2 - Practise the Tables using the cards.

1. Work with an adult who knows their tables.
2. Shuffle the cards and turn them over one at a time.
3. Each card is used as a Multiplier. $4 \times 2 = 8$

Example:

Show how cards are used with the **2× Tables**.

When you deal a card the number on it becomes the Multiplier.

$$\begin{array}{cc} 2\times & \\ \text{Table} & \text{Answer} \end{array}$$
$$2 = 8$$

3

2× TABLE

15 DAY PROGRAMME WEEK 1 – DAY 1

When you have finished the written exercises, use the cards to practise your **2×** Table.

Write in the answers. You can look at the 2× Table opposite if you need to.

Exercise 1: 1

1) $2 \times 2 =$ _____
2) $1 \times 2 =$ _____
3) $0 \times 2 =$ _____
4) $3 \times 2 =$ _____
5) $4 \times 2 =$ _____
6) $10 \times 2 =$ _____
7) $6 \times 2 =$ _____
8) $7 \times 2 =$ _____
9) $8 \times 2 =$ _____
10) $2 \times 2 =$ _____
11) $12 \times 2 =$ _____
12) $11 \times 2 =$ _____
13) $3 \times 2 =$ _____
14) $4 \times 2 =$ _____
15) $8 \times 2 =$ _____
16) $5 \times 2 =$ _____
17) $6 \times 2 =$ _____
18) $11 \times 2 =$ _____
19) $9 \times 2 =$ _____
20) $6 \times 2 =$ _____
21) $7 \times 2 =$ _____
22) $9 \times 2 =$ _____
23) $8 \times 2 =$ _____
24) $7 \times 2 =$ _____
25) $12 \times 2 =$ _____

Mark out of 25 → ☐

Exercise 1: 2

1) $2 \times 6 =$ _____
2) $2 \times 5 =$ _____
3) $2 \times 9 =$ _____
4) $2 \times 10 =$ _____
5) $2 \times 4 =$ _____
6) $2 \times 2 =$ _____
7) $2 \times 4 =$ _____
8) $2 \times 3 =$ _____
9) $2 \times 7 =$ _____
10) $2 \times 8 =$ _____
11) $2 \times 1 =$ _____
12) $2 \times 3 =$ _____
13) $2 \times 0 =$ _____
14) $2 \times 8 =$ _____
15) $2 \times 12 =$ _____
16) $2 \times 11 =$ _____
17) $2 \times 7 =$ _____
18) $2 \times 8 =$ _____
19) $2 \times 6 =$ _____
20) $2 \times 11 =$ _____
21) $2 \times 9 =$ _____
22) $2 \times 2 =$ _____
23) $2 \times 12 =$ _____
24) $2 \times 7 =$ _____
25) $2 \times 6 =$ _____

☐

Now fold back the flap along the dotted line to hide the Table and complete these exercises:

FOLD

Learn the Table below. When completing the exercises refer to the Table as a reminder only if you need to.

Exercise 1: 3

1) _____ × 2 = 8
2) _____ × 2 = 4
3) _____ × 2 = 8
4) _____ × 2 = 6
5) _____ × 2 = 12
6) _____ × 2 = 24
7) _____ × 2 = 4
8) _____ × 2 = 18
9) _____ × 2 = 22
10) _____ × 2 = 12
11) _____ × 2 = 16
12) _____ × 2 = 14
13) _____ × 2 = 24
14) _____ × 2 = 22
15) _____ × 2 = 14
16) _____ × 2 = 12
17) _____ × 2 = 16
18) _____ × 2 = 10
19) _____ × 2 = 18
20) _____ × 2 = 16
21) _____ × 2 = 6
22) _____ × 2 = 2
23) _____ × 2 = 0
24) _____ × 2 = 14
25) _____ × 2 = 20

Exercise 1: 4

1) 2 × _____ = 12
2) 2 × _____ = 22
3) 2 × _____ = 20
4) 2 × _____ = 12
5) 2 × _____ = 14
6) 2 × _____ = 18
7) 2 × _____ = 24
8) 2 × _____ = 6
9) 2 × _____ = 16
10) 2 × _____ = 18
11) 2 × _____ = 16
12) 2 × _____ = 14
13) 2 × _____ = 6
14) 2 × _____ = 0
15) 2 × _____ = 12
16) 2 × _____ = 14
17) 2 × _____ = 16
18) 2 × _____ = 2
19) 2 × _____ = 24
20) 2 × _____ = 10
21) 2 × _____ = 8
22) 2 × _____ = 4
23) 2 × _____ = 22
24) 2 × _____ = 8
25) 2 × _____ = 4

2× Table

0 × 2 = 0
1 × 2 = 2
2 × 2 = 4
3 × 2 = 6
4 × 2 = 8
5 × 2 = 10
6 × 2 = 12
7 × 2 = 14
8 × 2 = 16
9 × 2 = 18
10 × 2 = 20
11 × 2 = 22
12 × 2 = 24

3× TABLE

PROGRAMME WEEK 1 – DAY 2

When you have finished the written exercises, use the cards to practise your **3× Table**.

Write in the answers. You can look at the 3× Table opposite if you need to.

Exercise 1: 5

1) $2 \times 3 = \underline{\hspace{1cm}}$
2) $3 \times 3 = \underline{\hspace{1cm}}$
3) $5 \times 3 = \underline{\hspace{1cm}}$
4) $4 \times 3 = \underline{\hspace{1cm}}$
5) $6 \times 3 = \underline{\hspace{1cm}}$
6) $3 \times 3 = \underline{\hspace{1cm}}$
7) $0 \times 3 = \underline{\hspace{1cm}}$
8) $8 \times 3 = \underline{\hspace{1cm}}$
9) $7 \times 3 = \underline{\hspace{1cm}}$
10) $9 \times 3 = \underline{\hspace{1cm}}$
11) $6 \times 3 = \underline{\hspace{1cm}}$
12) $8 \times 3 = \underline{\hspace{1cm}}$
13) $4 \times 3 = \underline{\hspace{1cm}}$
14) $11 \times 3 = \underline{\hspace{1cm}}$
15) $7 \times 3 = \underline{\hspace{1cm}}$
16) $11 \times 3 = \underline{\hspace{1cm}}$
17) $1 \times 3 = \underline{\hspace{1cm}}$
18) $12 \times 3 = \underline{\hspace{1cm}}$
19) $6 \times 3 = \underline{\hspace{1cm}}$
20) $10 \times 3 = \underline{\hspace{1cm}}$
21) $8 \times 3 = \underline{\hspace{1cm}}$
22) $2 \times 3 = \underline{\hspace{1cm}}$
23) $7 \times 3 = \underline{\hspace{1cm}}$
24) $9 \times 3 = \underline{\hspace{1cm}}$
25) $12 \times 3 = \underline{\hspace{1cm}}$

Exercise 1: 6

1) $3 \times 1 = \underline{\hspace{1cm}}$
2) $3 \times 7 = \underline{\hspace{1cm}}$
3) $3 \times 0 = \underline{\hspace{1cm}}$
4) $3 \times 4 = \underline{\hspace{1cm}}$
5) $3 \times 3 = \underline{\hspace{1cm}}$
6) $3 \times 2 = \underline{\hspace{1cm}}$
7) $3 \times 6 = \underline{\hspace{1cm}}$
8) $3 \times 9 = \underline{\hspace{1cm}}$
9) $3 \times 7 = \underline{\hspace{1cm}}$
10) $3 \times 12 = \underline{\hspace{1cm}}$
11) $3 \times 8 = \underline{\hspace{1cm}}$
12) $3 \times 4 = \underline{\hspace{1cm}}$
13) $3 \times 6 = \underline{\hspace{1cm}}$
14) $3 \times 11 = \underline{\hspace{1cm}}$
15) $3 \times 7 = \underline{\hspace{1cm}}$
16) $3 \times 2 = \underline{\hspace{1cm}}$
17) $3 \times 8 = \underline{\hspace{1cm}}$
18) $3 \times 9 = \underline{\hspace{1cm}}$
19) $3 \times 3 = \underline{\hspace{1cm}}$
20) $3 \times 12 = \underline{\hspace{1cm}}$
21) $3 \times 6 = \underline{\hspace{1cm}}$
22) $3 \times 11 = \underline{\hspace{1cm}}$
23) $3 \times 8 = \underline{\hspace{1cm}}$
24) $3 \times 10 = \underline{\hspace{1cm}}$
25) $3 \times 5 = \underline{\hspace{1cm}}$

Fold back the flap along the dotted line.
Now try these without checking:

FOLD

Exercise 1: 7	**Exercise 1: 8**
1) _____ × 3 = 0	1) 3 × _____ = 27
2) _____ × 3 = 33	2) 3 × _____ = 9
3) _____ × 3 = 9	3) 3 × _____ = 36
4) _____ × 3 = 21	4) 3 × _____ = 18
5) _____ × 3 = 24	5) 3 × _____ = 6
6) _____ × 3 = 27	6) 3 × _____ = 0
7) _____ × 3 = 9	7) 3 × _____ = 24
8) _____ × 3 = 36	8) 3 × _____ = 21
9) _____ × 3 = 33	9) 3 × _____ = 15
10) _____ × 3 = 30	10) 3 × _____ = 18
11) _____ × 3 = 18	11) 3 × _____ = 12
12) _____ × 3 = 24	12) 3 × _____ = 30
13) _____ × 3 = 21	13) 3 × _____ = 24
14) _____ × 3 = 12	14) 3 × _____ = 6
15) _____ × 3 = 27	15) 3 × _____ = 21
16) _____ × 3 = 6	16) 3 × _____ = 18
17) _____ × 3 = 12	17) 3 × _____ = 12
18) _____ × 3 = 15	18) 3 × _____ = 33
19) _____ × 3 = 18	19) 3 × _____ = 27
20) _____ × 3 = 6	20) 3 × _____ = 36
21) _____ × 3 = 36	21) 3 × _____ = 3
22) _____ × 3 = 3	22) 3 × _____ = 33
23) _____ × 3 = 24	23) 3 × _____ = 9
24) _____ × 3 = 21	24) 3 × _____ = 21
25) _____ × 3 = 18	25) 3 × _____ = 24

Learn this Table then refer to it only if you need to.

3× Table

$0 \times 3 = 0$

$1 \times 3 = 3$

$2 \times 3 = 6$

$3 \times 3 = 9$

$4 \times 3 = 12$

$5 \times 3 = 15$

$6 \times 3 = 18$

$7 \times 3 = 21$

$8 \times 3 = 24$

$9 \times 3 = 27$

$10 \times 3 = 30$

$11 \times 3 = 33$

$12 \times 3 = 36$

2× TABLE **3× TABLE**

15 DAY PROGRAMME WEEK 1 – DAY 3

When you have finished the exercises, use the cards to practise your **2×** and **3× Tables**.

Complete the last column on page 9. Then write in the answers to the exercises below.

Exercise 1: 9

1) $6 \times 2 =$ _____
2) $12 \times 3 =$ _____
3) $0 \times 2 =$ _____
4) $7 \times 3 =$ _____
5) $8 \times 2 =$ _____
6) $5 \times 3 =$ _____
7) $4 \times 2 =$ _____
8) $9 \times 2 =$ _____
9) $2 \times 2 =$ _____
10) $1 \times 3 =$ _____
11) $11 \times 3 =$ _____
12) $3 \times 3 =$ _____
13) $10 \times 2 =$ _____
14) $7 \times 2 =$ _____
15) $2 \times 3 =$ _____
16) $6 \times 3 =$ _____
17) $7 \times 2 =$ _____
18) $8 \times 3 =$ _____
19) $11 \times 2 =$ _____
20) $6 \times 3 =$ _____
21) $4 \times 3 =$ _____
22) $8 \times 3 =$ _____
23) $12 \times 2 =$ _____
24) $3 \times 2 =$ _____
25) $9 \times 3 =$ _____

Exercise 1: 10

1) $2 \times 5 =$ _____
2) $3 \times 0 =$ _____
3) $3 \times 2 =$ _____
4) $3 \times 6 =$ _____
5) $3 \times 7 =$ _____
6) $2 \times 4 =$ _____
7) $3 \times 12 =$ _____
8) $3 \times 3 =$ _____
9) $2 \times 10 =$ _____
10) $2 \times 7 =$ _____
11) $3 \times 8 =$ _____
12) $3 \times 4 =$ _____
13) $3 \times 11 =$ _____
14) $2 \times 3 =$ _____
15) $2 \times 12 =$ _____
16) $2 \times 1 =$ _____
17) $3 \times 7 =$ _____
18) $2 \times 9 =$ _____
19) $3 \times 8 =$ _____
20) $2 \times 11 =$ _____
21) $2 \times 6 =$ _____
22) $2 \times 2 =$ _____
23) $3 \times 6 =$ _____
24) $3 \times 9 =$ _____
25) $2 \times 8 =$ _____

Fold back the flap. Then try to complete these without looking at the Tables.

FOLD

Complete first. Check with the Tables on pages 5 and 7 if you need to.

Exercise 1: 11

1) _____ × 2 = 12
2) _____ × 3 = 24
3) _____ × 2 = 16
4) _____ × 3 = 27
5) _____ × 2 = 14
6) _____ × 3 = 0
7) _____ × 2 = 24
8) _____ × 3 = 3
9) _____ × 2 = 22
10) _____ × 3 = 21
11) _____ × 2 = 10
12) _____ × 2 = 18
13) _____ × 3 = 6
14) _____ × 2 = 12
15) _____ × 3 = 33
16) _____ × 3 = 9
17) _____ × 2 = 8
18) _____ × 3 = 21
19) _____ × 2 = 24
20) _____ × 2 = 16
21) _____ × 3 = 12
22) _____ × 2 = 6
23) _____ × 3 = 18
24) _____ × 2 = 4
25) _____ × 2 = 20

Exercise 1: 12

1) 2 × _____ = 14
2) 3 × _____ = 24
3) 2 × _____ = 8
4) 3 × _____ = 9
5) 3 × _____ = 21
6) 2 × _____ = 6
7) 3 × _____ = 18
8) 2 × _____ = 4
9) 2 × _____ = 0
10) 2 × _____ = 24
11) 3 × _____ = 24
12) 3 × _____ = 15
13) 2 × _____ = 18
14) 3 × _____ = 6
15) 2 × _____ = 12
16) 2 × _____ = 22
17) 2 × _____ = 16
18) 3 × _____ = 12
19) 2 × _____ = 14
20) 3 × _____ = 36
21) 3 × _____ = 27
22) 2 × _____ = 20
23) 3 × _____ = 18
24) 2 × _____ = 2
25) 3 × _____ = 33

2× Table

0 × 2 = _____
1 × 2 = _____
2 × 2 = _____
3 × 2 = _____
4 × 2 = _____
5 × 2 = _____
6 × 2 = _____
7 × 2 = _____
8 × 2 = _____
9 × 2 = _____
10 × 2 = _____
11 × 2 = _____
12 × 2 = _____

3× Table

0 × 3 = _____
1 × 3 = _____
2 × 3 = _____
3 × 3 = _____
4 × 3 = _____
5 × 3 = _____
6 × 3 = _____
7 × 3 = _____
8 × 3 = _____
9 × 3 = _____
10 × 3 = _____
11 × 3 = _____
12 × 3 = _____

4× TABLE

15 DAY PROGRAMME

WEEK 1 – DAY 4

When you have finished the written exercises, use the cards to practise your **4× Table**.

Complete these multiplication exercises. You can look at the 4× Table opposite if you need to.

Exercise 1: 13

1) $12 \times 4 = $ _____
2) $8 \times 4 = $ _____
3) $0 \times 4 = $ _____
4) $10 \times 4 = $ _____
5) $6 \times 4 = $ _____
6) $3 \times 4 = $ _____
7) $11 \times 4 = $ _____
8) $7 \times 4 = $ _____
9) $8 \times 4 = $ _____
10) $4 \times 4 = $ _____
11) $9 \times 4 = $ _____
12) $7 \times 4 = $ _____
13) $2 \times 4 = $ _____
14) $5 \times 4 = $ _____
15) $1 \times 4 = $ _____
16) $6 \times 4 = $ _____
17) $4 \times 4 = $ _____
18) $2 \times 4 = $ _____
19) $8 \times 4 = $ _____
20) $6 \times 4 = $ _____
21) $11 \times 4 = $ _____
22) $3 \times 4 = $ _____
23) $7 \times 4 = $ _____
24) $12 \times 4 = $ _____
25) $9 \times 4 = $ _____

Exercise 1: 14

1) $4 \times 6 = $ _____
2) $4 \times 8 = $ _____
3) $4 \times 12 = $ _____
4) $4 \times 2 = $ _____
5) $4 \times 5 = $ _____
6) $4 \times 3 = $ _____
7) $4 \times 7 = $ _____
8) $4 \times 12 = $ _____
9) $4 \times 9 = $ _____
10) $4 \times 6 = $ _____
11) $4 \times 11 = $ _____
12) $4 \times 8 = $ _____
13) $4 \times 10 = $ _____
14) $4 \times 2 = $ _____
15) $4 \times 11 = $ _____
16) $4 \times 6 = $ _____
17) $4 \times 3 = $ _____
18) $4 \times 0 = $ _____
19) $4 \times 7 = $ _____
20) $4 \times 8 = $ _____
21) $4 \times 4 = $ _____
22) $4 \times 9 = $ _____
23) $4 \times 7 = $ _____
24) $4 \times 1 = $ _____
25) $4 \times 4 = $ _____

Fold back the flap.
Then complete these exercises:

Exercise 1: 15

1) _____ × 4 = 24

2) _____ × 4 = 44

3) _____ × 4 = 16

4) _____ × 4 = 20

5) _____ × 4 = 8

6) _____ × 4 = 36

7) _____ × 4 = 28

8) _____ × 4 = 24

9) _____ × 4 = 32

10) _____ × 4 = 36

11) _____ × 4 = 12

12) _____ × 4 = 0

13) _____ × 4 = 28

14) _____ × 4 = 32

15) _____ × 4 = 16

16) _____ × 4 = 4

17) _____ × 4 = 32

18) _____ × 4 = 48

19) _____ × 4 = 8

20) _____ × 4 = 40

21) _____ × 4 = 12

22) _____ × 4 = 48

23) _____ × 4 = 24

24) _____ × 4 = 44

25) _____ × 4 = 28

Exercise 1: 16

1) 4 × _____ = 44

2) 4 × _____ = 28

3) 4 × _____ = 24

4) 4 × _____ = 32

5) 4 × _____ = 12

6) 4 × _____ = 0

7) 4 × _____ = 28

8) 4 × _____ = 32

9) 4 × _____ = 16

10) 4 × _____ = 4

11) 4 × _____ = 32

12) 4 × _____ = 48

13) 4 × _____ = 8

14) 4 × _____ = 20

15) 4 × _____ = 12

16) 4 × _____ = 48

17) 4 × _____ = 24

18) 4 × _____ = 36

19) 4 × _____ = 28

20) 4 × _____ = 24

21) 4 × _____ = 44

22) 4 × _____ = 16

23) 4 × _____ = 40

24) 4 × _____ = 8

25) 4 × _____ = 36

FOLD

Learn this Table.

4× Table

$0 \times 4 = 0$

$1 \times 4 = 4$

$2 \times 4 = 8$

$3 \times 4 = 12$

$4 \times 4 = 16$

$5 \times 4 = 20$

$6 \times 4 = 24$

$7 \times 4 = 28$

$8 \times 4 = 32$

$9 \times 4 = 36$

$10 \times 4 = 40$

$11 \times 4 = 44$

$12 \times 4 = 48$

5× TABLE

WEEK 1 – DAY 5

When you have finished the written exercises, use the cards to practise your **5× Table**.

Multiply and write in the answers. You can look at the 5× Table opposite if you need to.

Exercise 1: 17

1) $10 \times 5 =$ _____
2) $3 \times 5 =$ _____
3) $9 \times 5 =$ _____
4) $7 \times 5 =$ _____
5) $6 \times 5 =$ _____
6) $11 \times 5 =$ _____
7) $4 \times 5 =$ _____
8) $12 \times 5 =$ _____
9) $8 \times 5 =$ _____
10) $3 \times 5 =$ _____
11) $2 \times 5 =$ _____
12) $9 \times 5 =$ _____
13) $5 \times 5 =$ _____
14) $7 \times 5 =$ _____
15) $8 \times 5 =$ _____
16) $12 \times 5 =$ _____
17) $4 \times 5 =$ _____
18) $7 \times 5 =$ _____
19) $0 \times 5 =$ _____
20) $6 \times 5 =$ _____
21) $1 \times 5 =$ _____
22) $2 \times 5 =$ _____
23) $11 \times 5 =$ _____
24) $8 \times 5 =$ _____
25) $6 \times 5 =$ _____

Exercise 1: 18

1) $5 \times 6 =$ _____
2) $5 \times 10 =$ _____
3) $5 \times 0 =$ _____
4) $5 \times 7 =$ _____
5) $5 \times 4 =$ _____
6) $5 \times 2 =$ _____
7) $5 \times 6 =$ _____
8) $5 \times 9 =$ _____
9) $5 \times 3 =$ _____
10) $5 \times 12 =$ _____
11) $5 \times 8 =$ _____
12) $5 \times 7 =$ _____
13) $5 \times 11 =$ _____
14) $5 \times 3 =$ _____
15) $5 \times 8 =$ _____
16) $5 \times 7 =$ _____
17) $5 \times 6 =$ _____
18) $5 \times 8 =$ _____
19) $5 \times 9 =$ _____
20) $5 \times 5 =$ _____
21) $5 \times 12 =$ _____
22) $5 \times 4 =$ _____
23) $5 \times 11 =$ _____
24) $5 \times 2 =$ _____
25) $5 \times 1 =$ _____

Fold back the flap.
Then complete these:

Exercise 1: 19

1) _____ × 5 = 10
2) _____ × 5 = 40
3) _____ × 5 = 60
4) _____ × 5 = 15
5) _____ × 5 = 55
6) _____ × 5 = 20
7) _____ × 5 = 30
8) _____ × 5 = 5
9) _____ × 5 = 35
10) _____ × 5 = 10
11) _____ × 5 = 60
12) _____ × 5 = 45
13) _____ × 5 = 55
14) _____ × 5 = 35
15) _____ × 5 = 45
16) _____ × 5 = 25
17) _____ × 5 = 0
18) _____ × 5 = 15
19) _____ × 5 = 30
20) _____ × 5 = 40
21) _____ × 5 = 50
22) _____ × 5 = 30
23) _____ × 5 = 40
24) _____ × 5 = 35
25) _____ × 5 = 20

Exercise 1: 20

1) 5 × _____ = 0
2) 5 × _____ = 25
3) 5 × _____ = 45
4) 5 × _____ = 15
5) 5 × _____ = 60
6) 5 × _____ = 35
7) 5 × _____ = 10
8) 5 × _____ = 20
9) 5 × _____ = 30
10) 5 × _____ = 35
11) 5 × _____ = 40
12) 5 × _____ = 50
13) 5 × _____ = 30
14) 5 × _____ = 55
15) 5 × _____ = 40
16) 5 × _____ = 10
17) 5 × _____ = 55
18) 5 × _____ = 40
19) 5 × _____ = 60
20) 5 × _____ = 15
21) 5 × _____ = 5
22) 5 × _____ = 30
23) 5 × _____ = 20
24) 5 × _____ = 45
25) 5 × _____ = 35

FOLD

Learn this Table.

5× Table

0 × 5 = 0
1 × 5 = 5
2 × 5 = 10
3 × 5 = 15
4 × 5 = 20
5 × 5 = 25
6 × 5 = 30
7 × 5 = 35
8 × 5 = 40
9 × 5 = 45
10 × 5 = 50
11 × 5 = 55
12 × 5 = 60

3× TABLE **4× TABLE**

5× TABLE

15 DAY PROGRAMME WEEK 2 – DAY 1

When you have finished the exercises, use the cards to practise your **3×, 4× & 5× Tables**.

Complete the last column on page 15.
Then finish these exercises:

Exercise 2: 1
1) $2 \times 3 =$ _____
2) $3 \times 3 =$ _____
3) $7 \times 5 =$ _____
4) $4 \times 4 =$ _____
5) $6 \times 3 =$ _____
6) $3 \times 5 =$ _____
7) $0 \times 5 =$ _____
8) $5 \times 4 =$ _____
9) $7 \times 4 =$ _____
10) $9 \times 3 =$ _____
11) $5 \times 3 =$ _____
12) $8 \times 5 =$ _____
13) $4 \times 5 =$ _____
14) $11 \times 3 =$ _____
15) $8 \times 4 =$ _____
16) $11 \times 4 =$ _____
17) $1 \times 3 =$ _____
18) $12 \times 5 =$ _____
19) $6 \times 4 =$ _____
20) $10 \times 4 =$ _____
21) $8 \times 3 =$ _____
22) $2 \times 5 =$ _____
23) $7 \times 3 =$ _____
24) $9 \times 4 =$ _____
25) $12 \times 4 =$ _____

Exercise 2: 2
1) $4 \times 1 =$ _____
2) $4 \times 7 =$ _____
3) $5 \times 0 =$ _____
4) $3 \times 4 =$ _____
5) $5 \times 3 =$ _____
6) $3 \times 2 =$ _____
7) $4 \times 6 =$ _____
8) $4 \times 9 =$ _____
9) $3 \times 7 =$ _____
10) $5 \times 12 =$ _____
11) $5 \times 8 =$ _____
12) $5 \times 4 =$ _____
13) $3 \times 6 =$ _____
14) $4 \times 11 =$ _____
15) $4 \times 7 =$ _____
16) $5 \times 2 =$ _____
17) $3 \times 10 =$ _____
18) $3 \times 9 =$ _____
19) $4 \times 3 =$ _____
20) $3 \times 12 =$ _____
21) $5 \times 6 =$ _____
22) $3 \times 11 =$ _____
23) $4 \times 8 =$ _____
24) $3 \times 8 =$ _____
25) $3 \times 5 =$ _____

Fold back the flap. Then try to finish these without looking at the Tables.

Exercise 2: 3
1) _____ × 3 = 24
2) _____ × 4 = 28
3) _____ × 4 = 36
4) _____ × 5 = 60
5) _____ × 4 = 32
6) _____ × 4 = 44
7) _____ × 3 = 36
8) _____ × 5 = 25
9) _____ × 4 = 8
10) _____ × 3 = 27
11) _____ × 5 = 40
12) _____ × 5 = 50
13) _____ × 4 = 12
14) _____ × 5 = 60
15) _____ × 4 = 16
16) _____ × 3 = 18
17) _____ × 5 = 10
18) _____ × 4 = 0
19) _____ × 3 = 21
20) _____ × 4 = 24
21) _____ × 5 = 20
22) _____ × 3 = 9
23) _____ × 4 = 48
24) _____ × 4 = 4
25) _____ × 5 = 35

Exercise 2: 4
1) 3 × _____ = 36
2) 4 × _____ = 24
3) 5 × _____ = 50
4) 5 × _____ = 10
5) 4 × _____ = 32
6) 5 × _____ = 40
7) 3 × _____ = 21
8) 3 × _____ = 27
9) 5 × _____ = 35
10) 5 × _____ = 30
11) 3 × _____ = 12
12) 5 × _____ = 15
13) 5 × _____ = 55
14) 3 × _____ = 3
15) 4 × _____ = 48
16) 4 × _____ = 16
17) 3 × _____ = 18
18) 4 × _____ = 28
19) 3 × _____ = 0
20) 5 × _____ = 20
21) 3 × _____ = 6
22) 4 × _____ = 44
23) 5 × _____ = 45
24) 4 × _____ = 20
25) 3 × _____ = 24

FOLD

Complete first:

3×

3 × 3 = _____
4 × 3 = _____
5 × 3 = _____
6 × 3 = _____
7 × 3 = _____
8 × 3 = _____
9 × 3 = _____
10 × 3 = _____
11 × 3 = _____
12 × 3 = _____

4×

4 × 4 = _____
5 × 4 = _____
6 × 4 = _____
7 × 4 = _____
8 × 4 = _____
9 × 4 = _____
10 × 4 = _____
11 × 4 = _____
12 × 4 = _____

5×

5 × 5 = _____
6 × 5 = _____
7 × 5 = _____
8 × 5 = _____
9 × 5 = _____
10 × 5 = _____
11 × 5 = _____
12 × 5 = _____

6× TABLE

15 DAY PROGRAMME WEEK 2 – DAY 2

When you have finished the written exercises, use the cards to practise your **6× Table**.

Write in the answers to these exercises. Look at the 6× Table opposite if you need to.

Exercise 2: 5

1) $5 \times 6 =$ _____

2) $4 \times 6 =$ _____

3) $7 \times 6 =$ _____

4) $6 \times 6 =$ _____

5) $8 \times 6 =$ _____

6) $11 \times 6 =$ _____

7) $0 \times 6 =$ _____

8) $12 \times 6 =$ _____

9) $11 \times 6 =$ _____

10) $2 \times 6 =$ _____

11) $1 \times 6 =$ _____

12) $3 \times 6 =$ _____

13) $8 \times 6 =$ _____

14) $7 \times 6 =$ _____

15) $3 \times 6 =$ _____

16) $7 \times 6 =$ _____

17) $2 \times 6 =$ _____

18) $10 \times 6 =$ _____

19) $9 \times 6 =$ _____

20) $6 \times 6 =$ _____

21) $4 \times 6 =$ _____

22) $6 \times 6 =$ _____

23) $8 \times 6 =$ _____

24) $12 \times 6 =$ _____

25) $9 \times 6 =$ _____

Exercise 2: 6

1) $6 \times 9 =$ _____

2) $6 \times 2 =$ _____

3) $6 \times 4 =$ _____

4) $6 \times 12 =$ _____

5) $6 \times 4 =$ _____

6) $6 \times 6 =$ _____

7) $6 \times 8 =$ _____

8) $6 \times 0 =$ _____

9) $6 \times 6 =$ _____

10) $6 \times 5 =$ _____

11) $6 \times 7 =$ _____

12) $6 \times 11 =$ _____

13) $6 \times 3 =$ _____

14) $6 \times 1 =$ _____

15) $6 \times 6 =$ _____

16) $6 \times 9 =$ _____

17) $6 \times 8 =$ _____

18) $6 \times 10 =$ _____

19) $6 \times 3 =$ _____

20) $6 \times 7 =$ _____

21) $6 \times 2 =$ _____

22) $6 \times 7 =$ _____

23) $6 \times 8 =$ _____

24) $6 \times 11 =$ _____

25) $6 \times 12 =$ _____

Fold back the flap.
Now try to complete these:

Exercise 2: 7
1) _____ × 6 = 36
2) _____ × 6 = 66
3) _____ × 6 = 24
4) _____ × 6 = 36
5) _____ × 6 = 48
6) _____ × 6 = 0
7) _____ × 6 = 30
8) _____ × 6 = 6
9) _____ × 6 = 60
10) _____ × 6 = 54
11) _____ × 6 = 48
12) _____ × 6 = 42
13) _____ × 6 = 18
14) _____ × 6 = 12
15) _____ × 6 = 24
16) _____ × 6 = 12
17) _____ × 6 = 42
18) _____ × 6 = 48
19) _____ × 6 = 66
20) _____ × 6 = 72
21) _____ × 6 = 54
22) _____ × 6 = 36
23) _____ × 6 = 42
24) _____ × 6 = 18
25) _____ × 6 = 72

Exercise 2: 8
1) 6 × _____ = 0
2) 6 × _____ = 30
3) 6 × _____ = 72
4) 6 × _____ = 60
5) 6 × _____ = 54
6) 6 × _____ = 48
7) 6 × _____ = 12
8) 6 × _____ = 66
9) 6 × _____ = 54
10) 6 × _____ = 36
11) 6 × _____ = 42
12) 6 × _____ = 18
13) 6 × _____ = 72
14) 6 × _____ = 66
15) 6 × _____ = 24
16) 6 × _____ = 48
17) 6 × _____ = 42
18) 6 × _____ = 18
19) 6 × _____ = 12
20) 6 × _____ = 36
21) 6 × _____ = 48
22) 6 × _____ = 6
23) 6 × _____ = 24
24) 6 × _____ = 42
25) 6 × _____ = 36

FOLD

Learn this Table.

6× Table

$0 \times 6 = 0$

$1 \times 6 = 6$

$2 \times 6 = 12$

$3 \times 6 = 18$

$4 \times 6 = 24$

$5 \times 6 = 30$

$6 \times 6 = 36$

$7 \times 6 = 42$

$8 \times 6 = 48$

$9 \times 6 = 54$

$10 \times 6 = 60$

$11 \times 6 = 66$

$12 \times 6 = 72$

7× TABLE

15 DAY PROGRAMME WEEK 2 – DAY 3

When you have finished the written exercises, use the cards to practise your **7× Table**.

Fill in the missing numbers. You can look at the 7× Table opposite if you need to.

Exercise 2: 9	**Exercise 2: 10**
1)　 2 × 7 = _____	1)　 7 × 2 = _____
2)　11 × 7 = _____	2)　 7 × 0 = _____
3)　 7 × 7 = _____	3)　 7 × 9 = _____
4)　12 × 7 = _____	4)　 7 × 11 = _____
5)　 9 × 7 = _____	5)　 7 × 7 = _____
6)　 6 × 7 = _____	6)　 7 × 12 = _____
7)　 7 × 7 = _____	7)　 7 × 6 = _____
8)　11 × 7 = _____	8)　 7 × 11 = _____
9)　 6 × 7 = _____	9)　 7 × 7 = _____
10)　 5 × 7 = _____	10)　 7 × 5 = _____
11)　 3 × 7 = _____	11)　 7 × 8 = _____
12)　 4 × 7 = _____	12)　 7 × 6 = _____
13)　 6 × 7 = _____	13)　 7 × 3 = _____
14)　 8 × 7 = _____	14)　 7 × 4 = _____
15)　 1 × 7 = _____	15)　 7 × 6 = _____
16)　 7 × 7 = _____	16)　 7 × 8 = _____
17)　 8 × 7 = _____	17)　 7 × 1 = _____
18)　12 × 7 = _____	18)　 7 × 7 = _____
19)　10 × 7 = _____	19)　 7 × 12 = _____
20)　 9 × 7 = _____	20)　 7 × 8 = _____
21)　 4 × 7 = _____	21)　 7 × 10 = _____
22)　 8 × 7 = _____	22)　 7 × 9 = _____
23)　 2 × 7 = _____	23)　 7 × 4 = _____
24)　 0 × 7 = _____	24)　 7 × 3 = _____
25)　 3 × 7 = _____	25)　 7 × 2 = _____

Fold back the flap.
Now complete these exercises:

Exercise 2: 11	Exercise 2: 12
1) _____ × 7 = 70	1) 7 × _____ = 70
2) _____ × 7 = 63	2) 7 × _____ = 49
3) _____ × 7 = 28	3) 7 × _____ = 35
4) _____ × 7 = 21	4) 7 × _____ = 21
5) _____ × 7 = 0	5) 7 × _____ = 84
6) _____ × 7 = 49	6) 7 × _____ = 49
7) _____ × 7 = 56	7) 7 × _____ = 63
8) _____ × 7 = 84	8) 7 × _____ = 14
9) _____ × 7 = 77	9) 7 × _____ = 42
10) _____ × 7 = 56	10) 7 × _____ = 56
11) _____ × 7 = 49	11) 7 × _____ = 42
12) _____ × 7 = 35	12) 7 × _____ = 63
13) _____ × 7 = 21	13) 7 × _____ = 28
14) _____ × 7 = 42	14) 7 × _____ = 21
15) _____ × 7 = 14	15) 7 × _____ = 56
16) _____ × 7 = 84	16) 7 × _____ = 49
17) _____ × 7 = 28	17) 7 × _____ = 77
18) _____ × 7 = 7	18) 7 × _____ = 84
19) _____ × 7 = 49	19) 7 × _____ = 14
20) _____ × 7 = 63	20) 7 × _____ = 56
21) _____ × 7 = 14	21) 7 × _____ = 7
22) _____ × 7 = 42	22) 7 × _____ = 0
23) _____ × 7 = 56	23) 7 × _____ = 28
24) _____ × 7 = 42	24) 7 × _____ = 42
25) _____ × 7 = 77	25) 7 × _____ = 77

FOLD

Learn this Table.

7× Table

$0 \times 7 = 0$

$1 \times 7 = 7$

$2 \times 7 = 14$

$3 \times 7 = 21$

$4 \times 7 = 28$

$5 \times 7 = 35$

$6 \times 7 = 42$

$7 \times 7 = 49$

$8 \times 7 = 56$

$9 \times 7 = 63$

$10 \times 7 = 70$

$11 \times 7 = 77$

$12 \times 7 = 84$

5× TABLE **6× TABLE**

7× TABLE

15 DAY PROGRAMME WEEK 2 – DAY 4

When you have finished the exercises, use the cards to practise your **5×**, **6×** & **7× Tables**.

Complete the last column on page 21.
Then fill in the missing figures below:

Exercise 2: 13
1) 4×5 = _____
2) 6×5 = _____
3) 3×7 = _____
4) 7×6 = _____
5) 3×6 = _____
6) 1×5 = _____
7) 11×7 = _____
8) 7×6 = _____
9) 9×5 = _____
10) 12×6 = _____
11) 8×5 = _____
12) 7×7 = _____
13) 9×6 = _____
14) 0×7 = _____
15) 12×5 = _____
16) 5×6 = _____
17) 8×7 = _____
18) 6×5 = _____
19) 11×6 = _____
20) 2×5 = _____
21) 8×7 = _____
22) 10×5 = _____
23) 6×7 = _____
24) 2×6 = _____
25) 4×7 = _____

Exercise 2: 14
1) 7×2 = _____
2) 5×3 = _____
3) 6×8 = _____
4) 5×11 = _____
5) 7×9 = _____
6) 6×4 = _____
7) 6×2 = _____
8) 5×7 = _____
9) 7×0 = _____
10) 5×12 = _____
11) 6×5 = _____
12) 7×6 = _____
13) 6×10 = _____
14) 5×7 = _____
15) 7×3 = _____
16) 6×1 = _____
17) 5×11 = _____
18) 7×7 = _____
19) 6×9 = _____
20) 5×4 = _____
21) 6×6 = _____
22) 7×12 = _____
23) 6×8 = _____
24) 7×6 = _____
25) 5×8 = _____

Fold back the flap.
Then try to complete these:

Exercise 2: 15
1) _____ × 7 = 14
2) _____ × 5 = 35
3) _____ × 6 = 36
4) _____ × 5 = 60
5) _____ × 7 = 70
6) _____ × 6 = 24
7) _____ × 5 = 55
8) _____ × 7 = 49
9) _____ × 7 = 63
10) _____ × 6 = 18
11) _____ × 5 = 55
12) _____ × 7 = 63
13) _____ × 5 = 10
14) _____ × 6 = 36
15) _____ × 5 = 40
16) _____ × 6 = 24
17) _____ × 5 = 25
18) _____ × 7 = 49
19) _____ × 7 = 7
20) _____ × 5 = 0
21) _____ × 6 = 72
22) _____ × 6 = 18
23) _____ × 5 = 30
24) _____ × 7 = 56
25) _____ × 6 = 48

Exercise 2: 16
1) 6 × _____ = 72
2) 7 × _____ = 70
3) 5 × _____ = 20
4) 6 × _____ = 54
5) 6 × _____ = 18
6) 5 × _____ = 55
7) 7 × _____ = 0
8) 7 × _____ = 84
9) 5 × _____ = 35
10) 6 × _____ = 6
11) 5 × _____ = 55
12) 6 × _____ = 24
13) 5 × _____ = 30
14) 7 × _____ = 14
15) 6 × _____ = 36
16) 5 × _____ = 15
17) 7 × _____ = 56
18) 7 × _____ = 63
19) 5 × _____ = 25
20) 6 × _____ = 48
21) 7 × _____ = 49
22) 5 × _____ = 30
23) 6 × _____ = 12
24) 5 × _____ = 35
25) 7 × _____ = 56

FOLD

Complete first:

5×

3 × 5 = _____
4 × 5 = _____
5 × 5 = _____
6 × 5 = _____
7 × 5 = _____
8 × 5 = _____
9 × 5 = _____
10 × 5 = _____
11 × 5 = _____
12 × 5 = _____

6×

4 × 6 = _____
5 × 6 = _____
6 × 6 = _____
7 × 6 = _____
8 × 6 = _____
9 × 6 = _____
10 × 6 = _____
11 × 6 = _____
12 × 6 = _____

7×

5 × 7 = _____
6 × 7 = _____
7 × 7 = _____
8 × 7 = _____
9 × 7 = _____
10 × 7 = _____
11 × 7 = _____
12 × 7 = _____

15 DAY PROGRAMME

WEEK 2 – DAY 5

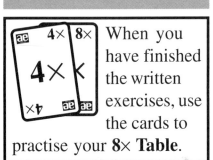

When you have finished the written exercises, use the cards to practise your **8× Table**.

Fill in the missing numbers. You can look at the 8× Table opposite if you need to.

Exercise 2: 17
1) $6 \times 8 =$ _____
2) $3 \times 8 =$ _____
3) $8 \times 8 =$ _____
4) $7 \times 8 =$ _____
5) $2 \times 8 =$ _____
6) $9 \times 8 =$ _____
7) $11 \times 8 =$ _____
8) $4 \times 8 =$ _____
9) $1 \times 8 =$ _____
10) $8 \times 8 =$ _____
11) $6 \times 8 =$ _____
12) $11 \times 8 =$ _____
13) $0 \times 8 =$ _____
14) $5 \times 8 =$ _____
15) $4 \times 8 =$ _____
16) $10 \times 8 =$ _____
17) $9 \times 8 =$ _____
18) $7 \times 8 =$ _____
19) $11 \times 8 =$ _____
20) $8 \times 8 =$ _____
21) $2 \times 8 =$ _____
22) $7 \times 8 =$ _____
23) $3 \times 8 =$ _____
24) $6 \times 8 =$ _____
25 $11 \times 8 =$ _____

Exercise 2: 18
1) $8 \times 0 =$ _____
2) $8 \times 2 =$ _____
3) $8 \times 6 =$ _____
4) $8 \times 3 =$ _____
5) $8 \times 7 =$ _____
6) $8 \times 11 =$ _____
7) $8 \times 6 =$ _____
8) $8 \times 8 =$ _____
9) $8 \times 6 =$ _____
10) $8 \times 11 =$ _____
11) $8 \times 9 =$ _____
12) $8 \times 2 =$ _____
13) $8 \times 7 =$ _____
14) $8 \times 8 =$ _____
15) $8 \times 12 =$ _____
16) $8 \times 1 =$ _____
17) $8 \times 4 =$ _____
18) $8 \times 5 =$ _____
19) $8 \times 7 =$ _____
20) $8 \times 9 =$ _____
21) $8 \times 10 =$ _____
22) $8 \times 4 =$ _____
23) $8 \times 12 =$ _____
24) $8 \times 8 =$ _____
25) $8 \times 3 =$ _____

Fold back the flap.
Fill in the missing numbers:

Exercise 2: 19	Exercise 2: 20
1) ____ × 8 = 72	1) 8 × ____ = 88
2) ____ × 8 = 96	2) 8 × ____ = 56
3) ____ × 8 = 64	3) 8 × ____ = 16
4) ____ × 8 = 48	4) 8 × ____ = 72
5) ____ × 8 = 24	5) 8 × ____ = 16
6) ____ × 8 = 0	6) 8 × ____ = 56
7) ____ × 8 = 56	7) 8 × ____ = 64
8) ____ × 8 = 24	8) 8 × ____ = 96
9) ____ × 8 = 32	9) 8 × ____ = 24
10) ____ × 8 = 56	10) 8 × ____ = 48
11) ____ × 8 = 48	11) 8 × ____ = 64
12) ____ × 8 = 8	12) 8 × ____ = 8
13) ____ × 8 = 80	13) 8 × ____ = 32
14) ____ × 8 = 16	14) 8 × ____ = 0
15) ____ × 8 = 64	15) 8 × ____ = 88
16) ____ × 8 = 96	16) 8 × ____ = 48
17) ____ × 8 = 72	17) 8 × ____ = 56
18) ____ × 8 = 88	18) 8 × ____ = 72
19) ____ × 8 = 64	19) 8 × ____ = 80
20) ____ × 8 = 48	20) 8 × ____ = 32
21) ____ × 8 = 40	21) 8 × ____ = 40
22) ____ × 8 = 32	22) 8 × ____ = 48
23) ____ × 8 = 88	23) 8 × ____ = 24
24) ____ × 8 = 56	24) 8 × ____ = 64
25) ____ × 8 = 16	25) 8 × ____ = 96

FOLD

Learn this Table.

8× Table

$0 \times 8 = 0$

$1 \times 8 = 8$

$2 \times 8 = 16$

$3 \times 8 = 24$

$4 \times 8 = 32$

$5 \times 8 = 40$

$6 \times 8 = 48$

$7 \times 8 = 56$

$8 \times 8 = 64$

$9 \times 8 = 72$

$10 \times 8 = 80$

$11 \times 8 = 88$

$12 \times 8 = 96$

9× TABLE

Fill in the missing numbers. You can look at the 9× Table opposite if you need to.

When you have finished the written exercises, use the cards to practise your **9× Table**.

Exercise 3: 1	
1)	8×9 = _____
2)	12×9 = _____
3)	6×9 = _____
4)	11×9 = _____
5)	5×9 = _____
6)	2×9 = _____
7)	0×9 = _____
8)	6×9 = _____
9)	11×9 = _____
10)	6×9 = _____
11)	8×9 = _____
12)	7×9 = _____
13)	8×9 = _____
14)	1×9 = _____
15)	12×9 = _____
16)	2×9 = _____
17)	4×9 = _____
18)	1×9 = _____
19)	3×9 = _____
20)	10×9 = _____
21)	7×9 = _____
22)	9×9 = _____
23)	4×9 = _____
24)	3×9 = _____
25)	9×9 = _____

Exercise 3: 2	
1)	9×1 = _____
2)	9×4 = _____
3)	9×2 = _____
4)	9×7 = _____
5)	9×10 = _____
6)	9×6 = _____
7)	9×12 = _____
8)	9×3 = _____
9)	9×12 = _____
10)	9×9 = _____
11)	9×4 = _____
12)	9×3 = _____
13)	9×0 = _____
14)	9×6 = _____
15)	9×11 = _____
16)	9×6 = _____
17)	9×5 = _____
18)	9×7 = _____
19)	9×11 = _____
20)	9×8 = _____
21)	9×7 = _____
22)	9×8 = _____
23)	9×2 = _____
24)	9×9 = _____
25)	9×8 = _____

Fold back the flap.
Then try these exercises:

Exercise 3: 3

1) _____ × 9 = 72

2) _____ × 9 = 99

3) _____ × 9 = 18

4) _____ × 9 = 81

5) _____ × 9 = 108

6) _____ × 9 = 45

7) _____ × 9 = 99

8) _____ × 9 = 81

9) _____ × 9 = 18

10) _____ × 9 = 72

11) _____ × 9 = 54

12) _____ × 9 = 36

13) _____ × 9 = 9

14) _____ × 9 = 63

15) _____ × 9 = 36

16) _____ × 9 = 27

17) _____ × 9 = 108

18) _____ × 9 = 0

19) _____ × 9 = 54

20) _____ × 9 = 27

21) _____ × 9 = 63

22) _____ × 9 = 72

23) _____ × 9 = 90

24) _____ × 9 = 63

25) _____ × 9 = 54

Exercise 3: 4

1) 9 × _____ = 72

2) 9 × _____ = 54

3) 9 × _____ = 99

4) 9 × _____ = 18

5) 9 × _____ = 27

6) 9 × _____ = 36

7) 9 × _____ = 63

8) 9 × _____ = 9

9) 9 × _____ = 36

10) 9 × _____ = 63

11) 9 × _____ = 18

12) 9 × _____ = 54

13) 9 × _____ = 27

14) 9 × _____ = 108

15) 9 × _____ = 81

16) 9 × _____ = 54

17) 9 × _____ = 0

18) 9 × _____ = 81

19) 9 × _____ = 99

20) 9 × _____ = 90

21) 9 × _____ = 72

22) 9 × _____ = 63

23) 9 × _____ = 45

24) 9 × _____ = 108

25) 9 × _____ = 72

FOLD

Learn this Table.

9× Table

$0 \times 9 = 0$

$1 \times 9 = 9$

$2 \times 9 = 18$

$3 \times 9 = 27$

$4 \times 9 = 36$

$5 \times 9 = 45$

$6 \times 9 = 54$

$7 \times 9 = 63$

$8 \times 9 = 72$

$9 \times 9 = 81$

$10 \times 9 = 90$

$11 \times 9 = 99$

$12 \times 9 = 108$

10× TABLE **11× TABLE**

15 DAY PROGRAMME

WEEK 3 – DAY 2

When you have finished the exercises, use the cards to practise your **10×** and **11× Tables**.

Fill in the numbers. You can look at the 10× and 11× Tables opposite if you need to.

Exercise 3: 5
1) $5 \times 10 = $ ____
2) $7 \times 11 = $ ____
3) $6 \times 11 = $ ____
4) $9 \times 10 = $ ____
5) $12 \times 11 = $ ____
6) $8 \times 10 = $ ____
7) $4 \times 10 = $ ____
8) $1 \times 11 = $ ____
9) $12 \times 10 = $ ____
10) $10 \times 10 = $ ____
11) $11 \times 11 = $ ____
12) $6 \times 11 = $ ____
13) $11 \times 10 = $ ____
14) $10 \times 11 = $ ____
15) $8 \times 10 = $ ____
16) $2 \times 10 = $ ____
17) $7 \times 11 = $ ____
18) $2 \times 10 = $ ____
19) $4 \times 11 = $ ____
20) $7 \times 10 = $ ____
21) $9 \times 11 = $ ____
22) $3 \times 11 = $ ____
23) $3 \times 10 = $ ____
24) $8 \times 11 = $ ____
25) $6 \times 10 = $ ____

Exercise 3: 6
1) $11 \times 6 = $ ____
2) $10 \times 7 = $ ____
3) $11 \times 5 = $ ____
4) $10 \times 8 = $ ____
5) $10 \times 3 = $ ____
6) $11 \times 9 = $ ____
7) $10 \times 6 = $ ____
8) $11 \times 11 = $ ____
9) $10 \times 9 = $ ____
10) $11 \times 12 = $ ____
11) $11 \times 7 = $ ____
12) $10 \times 2 = $ ____
13) $11 \times 1 = $ ____
14) $11 \times 4 = $ ____
15) $10 \times 8 = $ ____
16) $11 \times 2 = $ ____
17) $10 \times 7 = $ ____
18) $11 \times 8 = $ ____
19) $11 \times 0 = $ ____
20) $10 \times 11 = $ ____
21) $11 \times 4 = $ ____
22) $10 \times 3 = $ ____
23) $11 \times 6 = $ ____
24) $10 \times 10 = $ ____
25) $10 \times 12 = $ ____

Fold back the flap.
Now try these without looking at the Tables.

FOLD

Exercise 3: 7	Exercise 3: 8
1) ____ ×10 = 60	1) 11 × ____ = 66
2) ____ ×11 = 33	2) 11 × ____ = 88
3) ____ ×10 =120	3) 10 × ____ = 30
4) ____ ×11 =121	4) 11 × ____ = 33
5) ____ ×11 = 0	5) 10 × ____ = 90
6) ____ ×11 = 77	6) 10 × ____ = 70
7) ____ ×10 = 70	7) 11 × ____ = 88
8) ____ ×11 = 99	8) 10 × ____ = 80
9) ____ ×10 = 30	9) 11 × ____ = 22
10) ____ ×11 = 88	10) 10 × ____ = 70
11) ____ ×10 = 80	11) 10 × ____ = 0
12) ____ ×10 = 60	12) 11 × ____ =121
13) ____ ×11 = 11	13) 11 × ____ = 55
14) ____ ×10 = 70	14) 10 × ____ =100
15) ____ ×10 = 60	15) 11 × ____ = 11
16) ____ ×11 = 99	16) 10 × ____ = 60
17) ____ ×10 =110	17) 11 × ____ = 99
18) ____ ×11 = 22	18) 10 × ____ = 40
19) ____ ×11 = 88	19) 11 × ____ =132
20) ____ ×10 = 20	20) 11 × ____ = 66
21) ____ ×10 = 70	21) 10 × ____ = 40
22) ____ ×11 = 44	22) 11 × ____ = 77
23) ____ ×10 = 40	23) 10 × ____ = 20
24) ____ ×11 =132	24) 10 × ____ =120
25) ____ ×10 = 50	25) 11 × ____ =121

Learn these Tables.

10× Table

$$0 \times 10 = 0$$
$$1 \times 10 = 10$$
$$2 \times 10 = 20$$
$$3 \times 10 = 30$$
$$4 \times 10 = 40$$
$$5 \times 10 = 50$$
$$6 \times 10 = 60$$
$$7 \times 10 = 70$$
$$8 \times 10 = 80$$
$$9 \times 10 = 90$$
$$10 \times 10 = 100$$
$$11 \times 10 = 110$$
$$12 \times 10 = 120$$

11× Table

$$0 \times 11 = 0$$
$$1 \times 11 = 11$$
$$2 \times 11 = 22$$
$$3 \times 11 = 33$$
$$4 \times 11 = 44$$
$$5 \times 11 = 55$$
$$6 \times 11 = 66$$
$$7 \times 11 = 77$$
$$8 \times 11 = 88$$
$$9 \times 11 = 99$$
$$10 \times 11 = 110$$
$$11 \times 11 = 121$$
$$12 \times 11 = 132$$

15 DAY PROGRAMME WEEK 3 – DAY 3

When you have finished the exercises, use the cards to practise your **8×**, **9×** & **11× Tables**.

First complete the right-hand column on page 29. Then complete these exercises.

Exercise 3: 9	**Exercise 3: 10**
1) 5 × 9 = ____	1) 8 × 12 = ____
2) 11 × 11 = ____	2) 9 × 2 = ____
3) 9 × 8 = ____	3) 11 × 9 = ____
4) 6 × 9 = ____	4) 9 × 11 = ____
5) 4 × 8 = ____	5) 11 × 6 = ____
6) 3 × 9 = ____	6) 9 × 7 = ____
7) 12 × 11 = ____	7) 8 × 4 = ____
8) 4 × 9 = ____	8) 11 × 9 = ____
9) 1 × 8 = ____	9) 9 × 7 = ____
10) 10 × 11 = ____	10) 8 × 2 = ____
11) 11 × 9 = ____	11) 11 × 12 = ____
12) 7 × 11 = ____	12) 8 × 4 = ____
13) 2 × 8 = ____	13) 9 × 10 = ____
14) 8 × 9 = ____	14) 8 × 1 = ____
15) 8 × 11 = ____	15) 11 × 6 = ____
16) 7 × 8 = ____	16) 8 × 8 = ____
17) 6 × 9 = ____	17) 9 × 3 = ____
18) 12 × 11 = ____	18) 8 × 5 = ____
19) 2 × 8 = ____	19) 11 × 0 = ____
20) 7 × 11 = ____	20) 9 × 8 = ____
21) 9 × 11 = ____	21) 11 × 8 = ____
22) 3 × 8 = ____	22) 9 × 6 = ____
23) 8 × 11 = ____	23) 8 × 7 = ____
24) 6 × 9 = ____	24) 9 × 3 = ____
25) 0 × 8 = ____	25) 11 × 11 = ____

28

Fold back the flap.
Then try to complete these exercises.

FOLD

Exercise 3: 11	Exercise 3: 12
1) _____ × 8 = 8	1) 9 × _____ = 63
2) _____ × 9 = 90	2) 11 × _____ = 121
3) _____ × 11 = 44	3) 8 × _____ = 64
4) _____ × 9 = 108	4) 9 × _____ = 36
5) _____ × 11 = 55	5) 11 × _____ = 132
6) _____ × 8 = 24	6) 8 × _____ = 72
7) _____ × 11 = 66	7) 11 × _____ = 44
8) _____ × 9 = 81	8) 9 × _____ = 54
9) _____ × 8 = 16	9) 11 × _____ = 33
10) _____ × 11 = 121	10) 8 × _____ = 72
11) _____ × 9 = 0	11) 11 × _____ = 22
12) _____ × 11 = 121	12) 8 × _____ = 48
13) _____ × 8 = 56	13) 9 × _____ = 54
14) _____ × 8 = 72	14) 8 × _____ = 24
15) _____ × 11 = 88	15) 11 × _____ = 11
16) _____ × 9 = 54	16) 8 × _____ = 40
17) _____ × 11 = 22	17) 11 × _____ = 77
18) _____ × 9 = 27	18) 9 × _____ = 81
19) _____ × 8 = 56	19) 11 × _____ = 121
20) _____ × 9 = 54	20) 8 × _____ = 96
21) _____ × 11 = 88	21) 9 × _____ = 63
22) _____ × 8 = 64	22) 8 × _____ = 0
23) _____ × 8 = 96	23) 9 × _____ = 90
24) _____ × 9 = 36	24) 11 × _____ = 22
25) _____ × 11 = 77	25) 9 × _____ = 72

Complete first:

3 × 8 = _____
4 × 8 = _____
5 × 8 = _____
6 × 8 = _____
7 × 8 = _____
8 × 8 = _____
9 × 8 = _____
10 × 8 = _____
11 × 8 = _____
12 × 8 = _____

4 × 9 = _____
5 × 9 = _____
6 × 9 = _____
7 × 9 = _____
8 × 9 = _____
9 × 9 = _____
10 × 9 = _____
11 × 9 = _____
12 × 9 = _____

5 × 11 = _____
6 × 11 = _____
7 × 11 = _____
8 × 11 = _____
9 × 11 = _____
10 × 11 = _____
11 × 11 = _____
12 × 11 = _____

12×
TABLE

Complete these multiplication exercises. You can look at the 12× Table opposite if you need to.

Exercise 3: 13	**Exercise 3: 14**
1) 2 × 12 = _____	1) 12 × 7 = _____
2) 12 × 12 = _____	2) 12 × 8 = _____
3) 9 × 12 = _____	3) 12 × 1 = _____
4) 11 × 12 = _____	4) 12 × 2 = _____
5) 7 × 12 = _____	5) 12 × 4 = _____
6) 8 × 12 = _____	6) 12 × 7 = _____
7) 3 × 12 = _____	7) 12 × 3 = _____
8) 6 × 12 = _____	8) 12 × 0 = _____
9) 10 × 12 = _____	9) 12 × 10 = _____
10) 1 × 12 = _____	10) 12 × 11 = _____
11) 0 × 12 = _____	11) 12 × 12 = _____
12) 7 × 12 = _____	12) 12 × 2 = _____
13) 4 × 12 = _____	13) 12 × 5 = _____
14) 8 × 12 = _____	14) 12 × 6 = _____
15) 6 × 12 = _____	15) 12 × 8 = _____
16) 5 × 12 = _____	16) 12 × 4 = _____
17) 12 × 12 = _____	17) 12 × 6 = _____
18) 11 × 12 = _____	18) 12 × 11 = _____
19) 9 × 12 = _____	19) 12 × 7 = _____
20) 4 × 12 = _____	20) 12 × 8 = _____
21) 3 × 12 = _____	21) 12 × 9 = _____
22) 6 × 12 = _____	22) 12 × 6 = _____
23) 8 × 12 = _____	23) 12 × 3 = _____
24) 7 × 12 = _____	24) 12 × 12 = _____
25) 2 × 12 = _____	25) 12 × 9 = _____

When you have finished the written exercises, use the cards to practise your **12× Table**.

Fold back the flap.
Then finish these exercises.

Exercise 3: 15

1) _____ ×12 = 36

2) _____ ×12 =120

3) _____ ×12 = 72

4) _____ ×12 =108

5) _____ ×12 = 12

6) _____ ×12 = 84

7) _____ ×12 = 48

8) _____ ×12 = 72

9) _____ ×12 = 96

10) _____ ×12 = 24

11) _____ ×12 = 36

12) _____ ×12 = 72

13) _____ ×12 =132

14) _____ ×12 = 84

15) _____ ×12 = 96

16) _____ ×12 =144

17) _____ ×12 = 0

18) _____ ×12 =108

19) _____ ×12 =132

20) _____ ×12 = 96

21) _____ ×12 =144

22) _____ ×12 = 60

23) _____ ×12 = 24

24) _____ ×12 = 84

25) _____ ×12 = 48

Exercise 3: 16

1) 12 × _____ = 72

2) 12 × _____ = 24

3) 12 × _____ = 96

4) 12 × _____ = 84

5) 12 × _____ =144

6) 12 × _____ = 12

7) 12 × _____ = 48

8) 12 × _____ = 24

9) 12 × _____ =108

10) 12 × _____ = 84

11) 12 × _____ = 72

12) 12 × _____ = 0

13) 12 × _____ = 36

14) 12 × _____ =144

15) 12 × _____ =120

16) 12 × _____ =132

17) 12 × _____ = 84

18) 12 × _____ = 36

19) 12 × _____ = 60

20) 12 × _____ =108

21) 12 × _____ = 96

22) 12 × _____ = 48

23) 12 × _____ = 72

24) 12 × _____ = 96

25) 12 × _____ =132

Learn this Table.

12× Table

$0 \times 12 = 0$

$1 \times 12 = 12$

$2 \times 12 = 24$

$3 \times 12 = 36$

$4 \times 12 = 48$

$5 \times 12 = 60$

$6 \times 12 = 72$

$7 \times 12 = 84$

$8 \times 12 = 96$

$9 \times 12 = 108$

$10 \times 12 = 120$

$11 \times 12 = 132$

$12 \times 12 = 144$

ALL TABLES

15 DAY PROGRAMME WEEK 3 – DAY 5

When you have finished the written exercises, use the cards to practise **all** your **Tables**.

When you have got all these right, you have mastered all the Times Tables.

Exercise 3: 17

1) 6 × 12 = _____
2) 8 × 2 = _____
3) 7 × 4 = _____
4) 7 × 8 = _____
5) 3 × 6 = _____
6) 7 × 3 = _____
7) 11 × 7 = _____
8) 1 × 10 = _____
9) 4 × 5 = _____
10) 5 × 12 = _____
11) 2 × 9 = _____
12) 6 × 7 = _____
13) 2 × 2 = _____
14) 4 × 8 = _____
15) 9 × 2 = _____
16) 10 × 9 = _____
17) 12 × 3 = _____
18) 0 × 12 = _____
19) 6 × 6 = _____
20) 3 × 9 = _____
21) 9 × 11 = _____
22) 11 × 7 = _____
23) 8 × 4 = _____
24) 8 × 8 = _____
25) 12 × 9 = _____

Exercise 3: 18

1) 7 × 12 = _____
2) 2 × 8 = _____
3) 1 × 11 = _____
4) 4 × 9 = _____
5) 9 × 4 = _____
6) 2 × 9 = _____
7) 12 × 3 = _____
8) 2 × 2 = _____
9) 7 × 5 = _____
10) 8 × 6 = _____
11) 2 × 0 = _____
12) 9 × 12 = _____
13) 6 × 8 = _____
14) 4 × 6 = _____
15) 3 × 9 = _____
16) 7 × 4 = _____
17) 2 × 2 = _____
18) 8 × 6 = _____
19) 12 × 1 = _____
20) 6 × 11 = _____
21) 3 × 7 = _____
22) 4 × 3 = _____
23) 7 × 7 = _____
24) 5 × 7 = _____
25) 3 × 10 = _____

32

Exercise 3: 19

1) ____ × 3 = 6
2) ____ × 2 = 16
3) ____ × 12 = 36
4) ____ × 7 = 84
5) ____ × 2 = 2
6) ____ × 6 = 36
7) ____ × 4 = 12
8) ____ × 8 = 88
9) ____ × 9 = 18
10) ____ × 8 = 32
11) ____ × 7 = 56
12) ____ × 3 = 12
13) ____ × 8 = 72
14) ____ × 11 = 66
15) ____ × 5 = 40
16) ____ × 7 = 70
17) ____ × 2 = 14
18) ____ × 12 = 84
19) ____ × 0 = 0
20) ____ × 9 = 54
21) ____ × 11 = 55
22) ____ × 7 = 63
23) ____ × 6 = 72
24) ____ × 4 = 28
25) ____ × 8 = 88

Exercise 3: 20

1) 6 × ____ = 60
2) 2 × ____ = 12
3) 3 × ____ = 27
4) 7 × ____ = 28
5) 8 × ____ = 64
6) 4 × ____ = 36
7) 11 × ____ = 55
8) 9 × ____ = 54
9) 8 × ____ = 96
10) 7 × ____ = 21
11) 12 × ____ = 96
12) 9 × ____ = 27
13) 5 × ____ = 20
14) 0 × ____ = 0
15) 6 × ____ = 66
16) 7 × ____ = 7
17) 4 × ____ = 8
18) 2 × ____ = 22
19) 8 × ____ = 56
20) 9 × ____ = 108
21) 3 × ____ = 6
22) 8 × ____ = 0
23) 12 × ____ = 72
24) 7 × ____ = 56
25) 3 × ____ = 21

Exercise 3: 21

1) ____ × 3 = 21
2) 6 × ____ = 6
3) 7 × ____ = 77
4) 7 × 2 = ____
5) 6 × ____ = 18
6) ____ × 3 = 27
7) 6 × ____ = 48
8) 8 × 12 = ____
9) 0 × 7 = ____
10) 7 × 12 = ____
11) ____ × 3 = 21
12) 7 × 6 = ____
13) 6 × ____ = 24
14) 2 × 12 = ____
15) ____ × 3 = 15
16) 7 × 11 = ____
17) 6 × ____ = 72
18) 4 × 12 = ____
19) ____ × 3 = 24
20) 7 × 9 = ____
21) 3 × 12 = ____
22) 7 × 8 = ____
23) 6 × ____ = 60
24) ____ × 3 = 18
25) 7 × 6 = ____

33

2× Table

$0 \times 2 = 0$
$1 \times 2 = 2$
$2 \times 2 = 4$
$3 \times 2 = 6$
$4 \times 2 = 8$
$5 \times 2 = 10$
$6 \times 2 = 12$
$7 \times 2 = 14$
$8 \times 2 = 16$
$9 \times 2 = 18$
$10 \times 2 = 20$
$11 \times 2 = 22$
$12 \times 2 = 24$

3× Table

$0 \times 3 = 0$
$1 \times 3 = 3$
$2 \times 3 = 6$
$3 \times 3 = 9$
$4 \times 3 = 12$
$5 \times 3 = 15$
$6 \times 3 = 18$
$7 \times 3 = 21$
$8 \times 3 = 24$
$9 \times 3 = 27$
$10 \times 3 = 30$
$11 \times 3 = 33$
$12 \times 3 = 36$

4× Table

$0 \times 4 = 0$
$1 \times 4 = 4$
$2 \times 4 = 8$
$3 \times 4 = 12$
$4 \times 4 = 16$
$5 \times 4 = 20$
$6 \times 4 = 24$
$7 \times 4 = 28$
$8 \times 4 = 32$
$9 \times 4 = 36$
$10 \times 4 = 40$
$11 \times 4 = 44$
$12 \times 4 = 48$

5× Table

$0 \times 5 = 0$
$1 \times 5 = 5$
$2 \times 5 = 10$
$3 \times 5 = 15$
$4 \times 5 = 20$
$5 \times 5 = 25$
$6 \times 5 = 30$
$7 \times 5 = 35$
$8 \times 5 = 40$
$9 \times 5 = 45$
$10 \times 5 = 50$
$11 \times 5 = 55$
$12 \times 5 = 60$

6× Table

$0 \times 6 = 0$
$1 \times 6 = 6$
$2 \times 6 = 12$
$3 \times 6 = 18$
$4 \times 6 = 24$
$5 \times 6 = 30$
$6 \times 6 = 36$
$7 \times 6 = 42$
$8 \times 6 = 48$
$9 \times 6 = 54$
$10 \times 6 = 60$
$11 \times 6 = 66$
$12 \times 6 = 72$

7× Table

$0 \times 7 = 0$
$1 \times 7 = 7$
$2 \times 7 = 14$
$3 \times 7 = 21$
$4 \times 7 = 28$
$5 \times 7 = 35$
$6 \times 7 = 42$
$7 \times 7 = 49$
$8 \times 7 = 56$
$9 \times 7 = 63$
$10 \times 7 = 70$
$11 \times 7 = 77$
$12 \times 7 = 84$

8× Table

$0 \times 8 = 0$
$1 \times 8 = 8$
$2 \times 8 = 16$
$3 \times 8 = 24$
$4 \times 8 = 32$
$5 \times 8 = 40$
$6 \times 8 = 48$
$7 \times 8 = 56$
$8 \times 8 = 64$
$9 \times 8 = 72$
$10 \times 8 = 80$
$11 \times 8 = 88$
$12 \times 8 = 96$

9× Table

$0 \times 9 = 0$
$1 \times 9 = 9$
$2 \times 9 = 18$
$3 \times 9 = 27$
$4 \times 9 = 36$
$5 \times 9 = 45$
$6 \times 9 = 54$
$7 \times 9 = 63$
$8 \times 9 = 72$
$9 \times 9 = 81$
$10 \times 9 = 90$
$11 \times 9 = 99$
$12 \times 9 = 108$

10× Table

$0 \times 10 = 0$
$1 \times 10 = 10$
$2 \times 10 = 20$
$3 \times 10 = 30$
$4 \times 10 = 40$
$5 \times 10 = 50$
$6 \times 10 = 60$
$7 \times 10 = 70$
$8 \times 10 = 80$
$9 \times 10 = 90$
$10 \times 10 = 100$
$11 \times 10 = 110$
$12 \times 10 = 120$

11× Table

$0 \times 11 = 0$
$1 \times 11 = 11$
$2 \times 11 = 22$
$3 \times 11 = 33$
$4 \times 11 = 44$
$5 \times 11 = 55$
$6 \times 11 = 66$
$7 \times 11 = 77$
$8 \times 11 = 88$
$9 \times 11 = 99$
$10 \times 11 = 110$
$11 \times 11 = 121$
$12 \times 11 = 132$

12× Table

$0 \times 12 = 0$
$1 \times 12 = 12$
$2 \times 12 = 24$
$3 \times 12 = 36$
$4 \times 12 = 48$
$5 \times 12 = 60$
$6 \times 12 = 72$
$7 \times 12 = 84$
$8 \times 12 = 96$
$9 \times 12 = 108$
$10 \times 12 = 120$
$11 \times 12 = 132$
$12 \times 12 = 144$

PROGRESS CHARTS

WEEK ONE

Scores

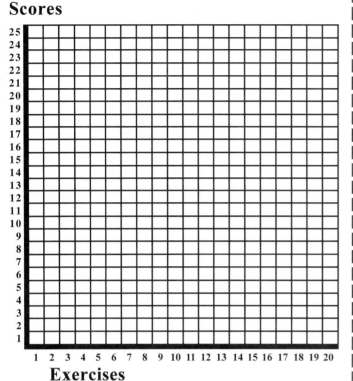

Exercises

Total Score

$\div 500 \times 100 =$

Percentage

%

WEEK TWO

Scores

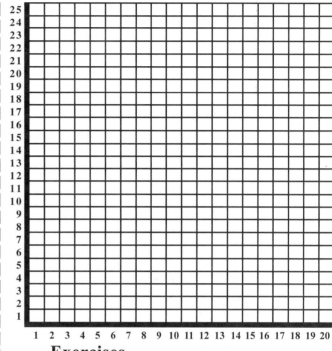

Exercises

Total Score

$\div 500 \times 100 =$

Percentage

%

WEEK THREE

Scores

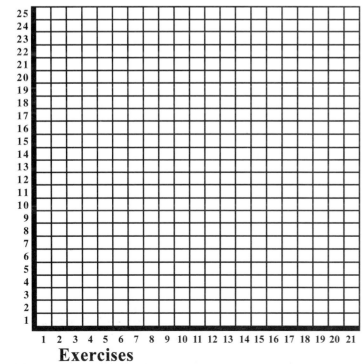

Exercises

Total Score

$\div 525 \times 100 =$

Percentage

%

Add up the percentages and divide by 3

Overall Percentage %

CERTIFICATE
OF
ACHIEVEMENT

This certifies............................
has successfully completed the
Multiplication Tables book.

Overall Percentage
Score Achieved.

%

Comment...................................

....

Signed ....
(teacher/parent/guardian)

Date ....